Les Carnets
de la

Baryonyx
Stegosaurus

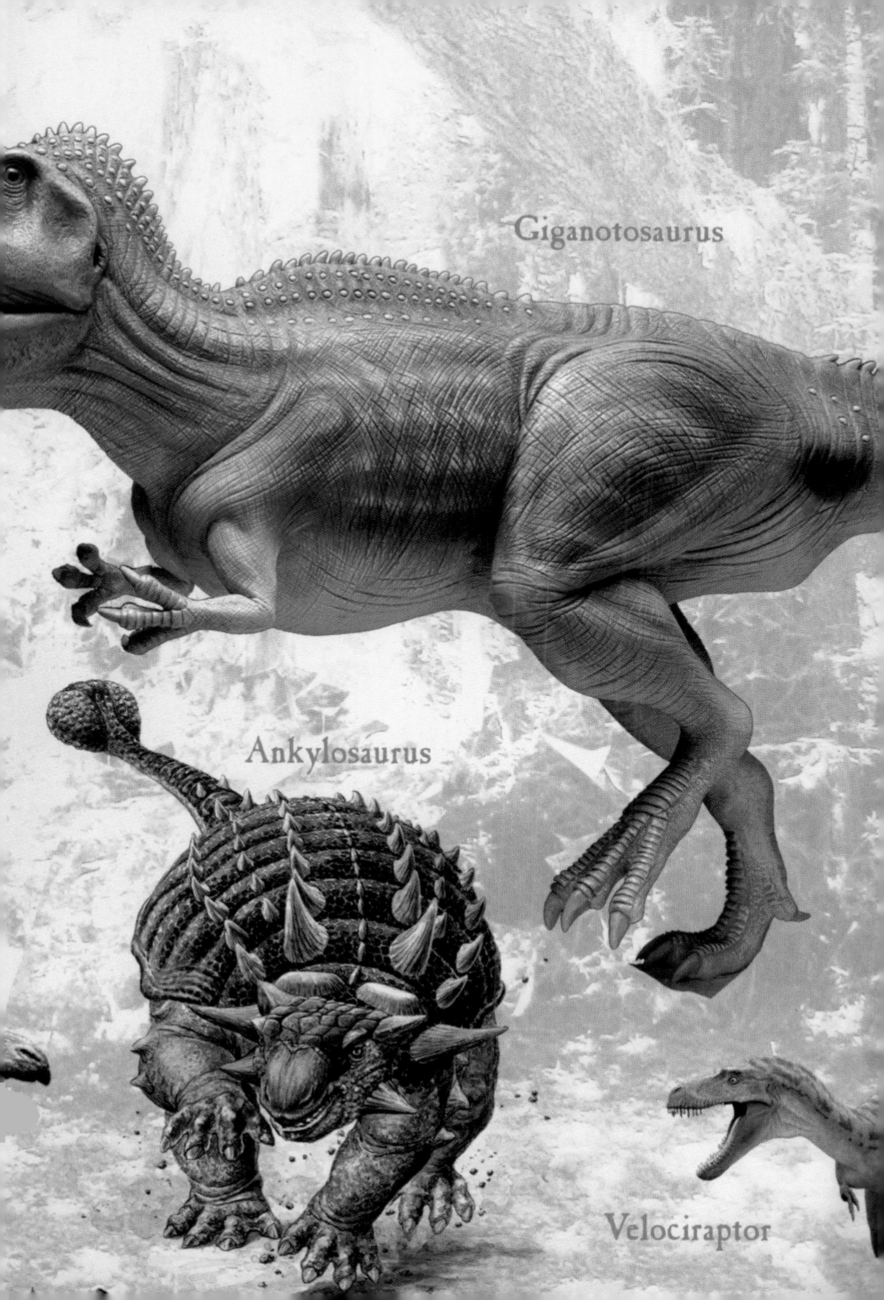

Giganotosaurus

Ankylosaurus

Velociraptor

Anatosaurus
T-Rex
Coelophysis
Triceratops
Troodon
Diplodocus

Les dinosaures

Titre original : *Dinosaurs*

Réalisation de la maquette : Isabelle Southgate.
Illustration de couverture et illustrations intérieures : Philippe Masson.

Loi n° 49-956 du 16 juillet 1949
sur les publications destinées à la jeunesse.
Dépôt légal : septembre 2008 – ISBN : 978-2-7470-2592-8
Imprimé en Italie

Les dinosaures

Mary Pope Osborne
et Will Osborne

Traduit de l'américain
par Éric Chevreau

Illustré par Sal Murdocca
et Philippe Masson

Cinquième édition
bayard jeunesse

Cher lecteur,

Tu as aimé nos aventures dans « La vallée des dinosaures » ? Tu voudrais en apprendre davantage sur ces animaux disparus ? Alors ce guide est fait pour toi !

Comme nous sommes très curieux, nous avons cherché à en savoir plus sur la période où vivaient les dinosaures. Nous avons feuilleté des livres à la bibliothèque, consulté des sites sur Internet et visité des musées. (Tu trouveras à la fin du guide la liste des documents et des sites que nous avons utilisés.)

Nous avons illustré nos recherches avec de nombreux dessins et photos. Ainsi, tu seras incollable sur ces créatures fascinantes !

Prêt à faire un bond de plusieurs millions d'années dans le temps ? Alors, viens avec nous faire la connaissance de ces animaux impressionnants !

Tes amis
passionnés
d'histoire,
Tom et Léa.

Le bois de Belleville
est ici.

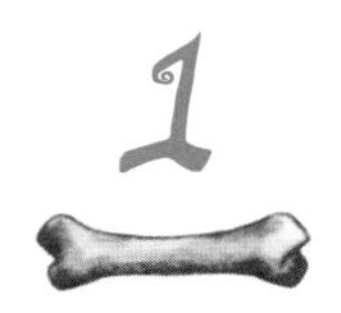

L'ère des dinosaures

Autrefois, la Terre ne ressemblait pas du tout à celle que nous connaissons aujourd'hui, avec les sept continents. Il y a plusieurs millions d'années, il n'existait qu'un seul et immense continent, nommé Pangée.

***Continent :** vaste étendue de terre entourée d'océans.*

Certaines régions de la Pangée étaient désertiques ; d'autres, humides et marécageuses. Les paysages étaient variés : forêts, jungles, plaines, montagnes, rivières et lacs.

Surtout, ce continent était peuplé de dinosaures, grands comme des im-

meubles ou aussi petits que des canards. Ces animaux marchaient sur deux pattes (bipèdes) ou sur quatre

(quadrupèdes). Certains possédaient des dents pointues, d'autres n'en avaient pas.

Les dinosaures appartenaient tous à la classe des reptiles et avaient plusieurs points communs :

Les dinosaures

Reptiles

Vivent sur Terre

Ont presque tous des écailles

Pondent des œufs

Ne volent pas

L'âge des reptiles

Les scientifiques pensent que le premier dinosaure est né il y a plus de 240 millions d'années et que le dernier s'est éteint il y a environ 65 millions d'années.

Les dinosaures ont vécu pendant l'ère secondaire ou mésozoïque, appelée aussi « âge des reptiles ».

Les paléontologues, les savants qui étudient les fossiles, divisent cette ère en trois périodes :
- le trias,
- le jurassique,
- le crétacé.

Les dinosaures les plus connus vivaient au jurassique et au crétacé. L'homme, lui, n'est apparu qu'après leur extinction.

Alors comment se fait-il qu'on sache autant de choses sur ces animaux disparus ? Eh bien, grâce aux os, aux dents et aux empreintes que les dinosaures ont laissés un peu partout sur la planète !

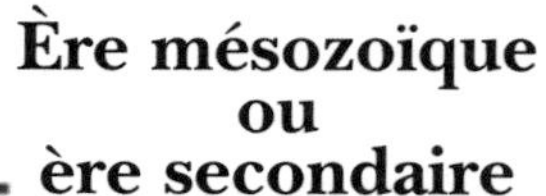

**Ère mésozoïque
ou
ère secondaire**

**Trias :
–248 à –208 millions
d’années**

**Jurassique :
–208 à –145 millions
d’années**

Stegosaurus

Coelophysis

CHEMIN

Diplodocus

Eoraptor,
le plus ancien dinosaure

**Crétacé :
–145 à –65 millions
d'années**

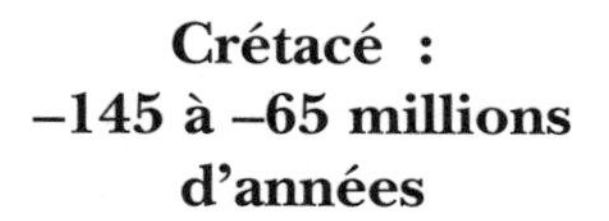

Iguanodon

Tyrannosaurus rex

*Homo sapiens,
l'homme moderne :
il y a 200 000 ans*

Tom et Léa

2 Les fossiles

Lorsque les scientifiques disent qu'ils ont trouvé un « os de dinosaure », il s'agit en fait d'un « fossile ».

Parfois un dinosaure mourait près d'une rivière ou d'un fleuve. Son corps était alors petit à petit recouvert d'eau, de boue et de sable, qui ont durci au fil des années et l'ont emprisonné à jamais. En même temps, l'eau contenue dans la terre s'est infiltrée dans les os du dinosaure, et les minéraux présents dans l'eau les ont transformés en pierre.

***Fossile :** restes d'animaux ou de plantes préservés dans une roche.*

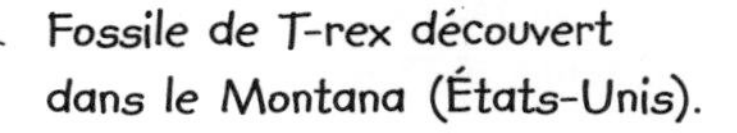

Fossile de T-rex découvert dans le Montana (États-Unis).

Minéraux :
éléments naturels, ne provenant pas des animaux ni des plantes, qui s'associent pour former des roches.

Le squelette du dinosaure a ainsi été conservé dans une roche et fossilisé.

Tu te souviens du nid d'*Anatosaurus*, cet étrange dinosaure à bec de

C'est un fossile de dinosaure trouvé dans le lit d'une rivière.

canard, que Léa trouve dans *La vallée des dinosaures* ? Eh bien, les œufs de cet animal ont eux aussi été fossilisés.

Les fossiles retrouvés par les paléontologues fournissent de précieux renseignements sur les dinosaures : leur alimentation, leur façon de marcher, leur poids, leur mode de vie.

– Les herbivores avaient des dents plates pour écraser les plantes ; les carnivores, des dents pointues pour découper la chair.

– Certains animaux couraient très vite, ils avaient de longs fémurs (os de la jambe) ; d'autres étaient plus lents.

– Ils pesaient de 10 kg à une centaine de tonnes : une empreinte de pas très marquée correspond à un dinosaure massif ; une empreinte moins

profonde à un animal plus léger.

– Certains dinosaures se déplaçaient en troupeaux ou vivaient en familles, à en juger par les nombreuses petites empreintes découvertes à côté des grosses.

Les fossiles ne sont que des indices qui révèlent l'existence de ces animaux. Nous ne pouvons pas savoir exactement à quoi ils ressemblaient, comment ils vivaient, comment ils sont morts. Pour cela, nous devons aussi faire appel à notre imagination.

Regarde ces nombreuses empreintes qui vont dans la même direction ! Les animaux devaient se déplacer en groupes.

Bébés dinosaures !

Les paléontologues ont retrouvé des nids de dinosaures, et plus précisément des œufs fossilisés. Ces nids ont été creusés dans la terre ou dans le sable.

Vous avez vu : certains dinosaures pondaient leurs œufs en cercle !

Les scientifiques pensent que les dinosaures retournaient chaque année sur le même lieu de ponte.

Le plus gros fossile d'œuf découvert avait les dimensions d'un ballon de football, alors que la femelle mesurait bien 12 m de long !

Pourquoi ces animaux si impressionnants pondaient-ils des œufs si petits ? En fait, si les œufs avaient été plus gros, la coquille aurait été trop épaisse, et les bébés n'auraient pas pu la casser.

Qu'il est mignon !

Chasseurs de dinosaures

Les premiers découvreurs de fossiles ignoraient ce qu'ils avaient déterré !

Les Chinois croyaient qu'il s'agissait de squelettes de dragons.

Les Indiens d'Amérique du Nord s'imaginaient que c'étaient des serpents géants.

D'autres pensaient que les fossiles étaient les restes de gros éléphants, ou même d'humains gigantesques !

Vers 1820, des Anglais, Mary Ann et Gideon Mantell, ont trouvé des fossiles de dents dans une forêt.

Constatant que ces dents ressemblaient à celles d'un iguane (mais en vingt fois plus grandes !), Gideon Mantell a baptisé l'animal à qui elles appartenaient *Iguanodon*. Ce qui en latin veut dire « dent d'iguane ».

***Iguane :* gros lézard d'Amérique du Sud.**

En 1824, William Buckland, un professeur anglais, a étudié la mâchoire fossilisée d'un énorme reptile, qu'il a appelé *Megalosaurus* (« gros lézard » en grec).

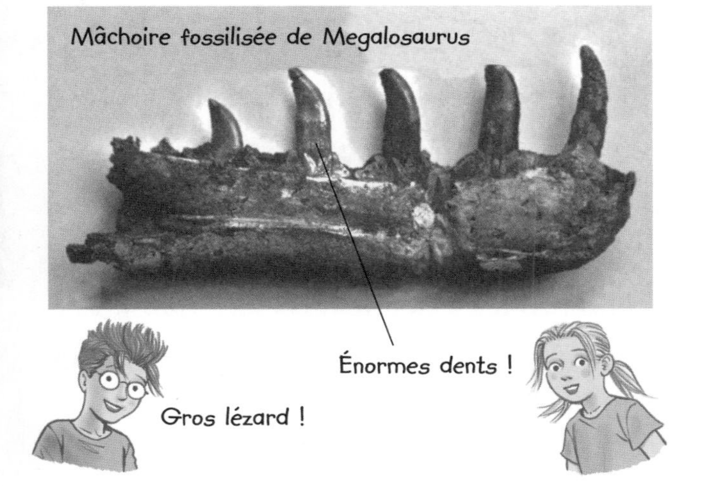

C'est un scientifique, Richard Owen, qui a inventé, en 1842, le terme « dinosaure ». En grec, *deinos* signifie « terrible », et *sauros*, « lézard ».

Suite à ces premières découvertes, de plus en plus de gens se sont inté-

Dis-moi comment tu t'appelles...

Les scientifiques utilisent des noms latins ou grecs pour nommer les dinosaures. Certains animaux ont pris le nom de l'endroit où ils ont été trouvés : l'*Alamosaurus* a été découvert près d'Alamo, au Texas.

D'autres ont été baptisés du nom de celui qui les a découverts : le *Marshosaurus* a été déterré par Othniel Charles Marsh, célèbre paléontologue.

ressés aux dinosaures. Les paléontologues ont déterré toujours plus de fossiles, et les musées ont alors décidé d'exposer des squelettes. La course à l'os était lancée !

Et enfin d'autres encore tirent leur nom d'une caractéristique physique particulière : C*orythosaurus* signifie en grec « lézard au casque ».

Corythosaurus

Idiotosaurus !

La guerre des os

Othniel Charles Marsh et Edward Drinker Cope sont deux célèbres paléontologues américains qui cherchaient des fossiles dans les années 1870.

C'était à qui en dénicherait le plus grand nombre ! Ils gardaient jalousement le secret de leurs trouvailles, envoyaient des espions dans le camp adverse et tentaient même de se voler les squelettes.

Marsh

Cope

Ces grands scientifiques se sont affrontés pendant vingt ans. À eux deux, ils ont découvert plus de 130 espèces de dinosaures !

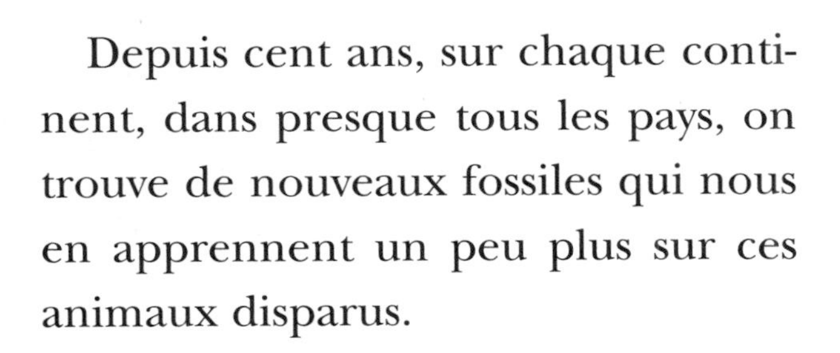

Depuis cent ans, sur chaque continent, dans presque tous les pays, on trouve de nouveaux fossiles qui nous en apprennent un peu plus sur ces animaux disparus.

Les outils du paléontologue

Voici la panoplie du chercheur de fossiles :

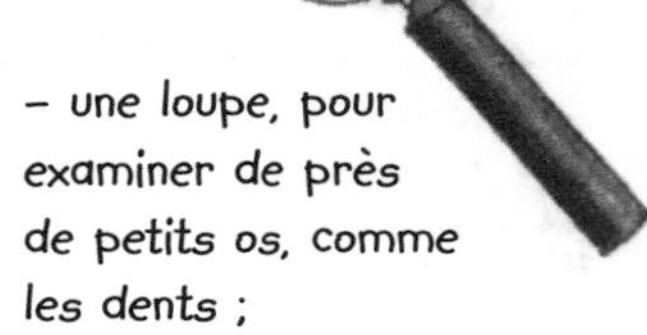

– une loupe, pour examiner de près de petits os, comme les dents ;

– un appareil photo, pour prendre des clichés du site de fouilles et des fossiles ;

– une règle ou un mètre-ruban, pour mesurer les os ;

– un carnet, dans lequel noter les découvertes ;

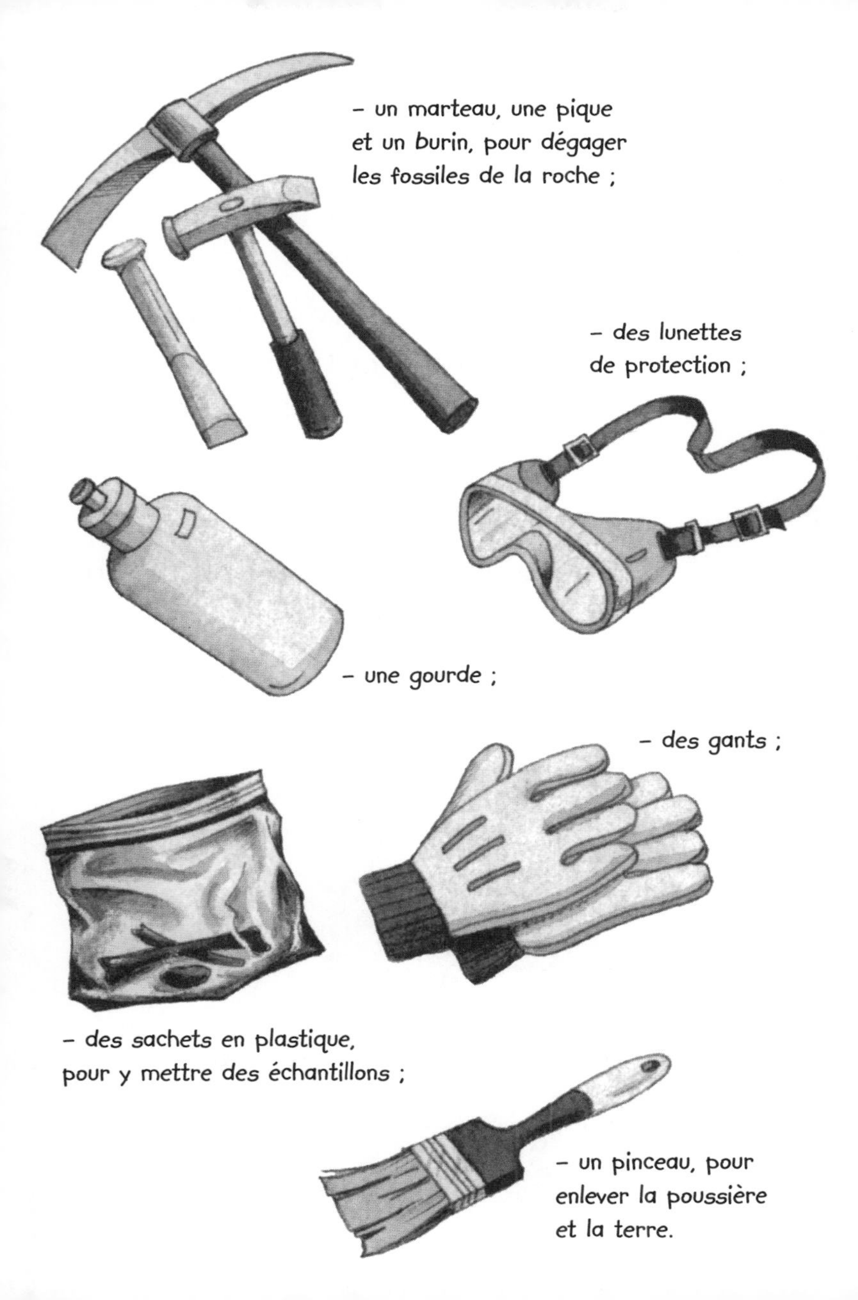
– un marteau, une pique
et un burin, pour dégager
les fossiles de la roche ;
– des lunettes
de protection ;
– une gourde ;
– des gants ;
– des sachets en plastique,
pour y mettre des échantillons ;
– un pinceau, pour
enlever la poussière
et la terre.

Les erreurs des scientifiques

Même les grands paléontologues peuvent se tromper ! Voici une compilation de leurs plus belles gaffes.

Faux nom !

Pendant des années, un dinosaure appelé *Brontosaurus* a été exposé dans les musées. En réalité, il s'agissait

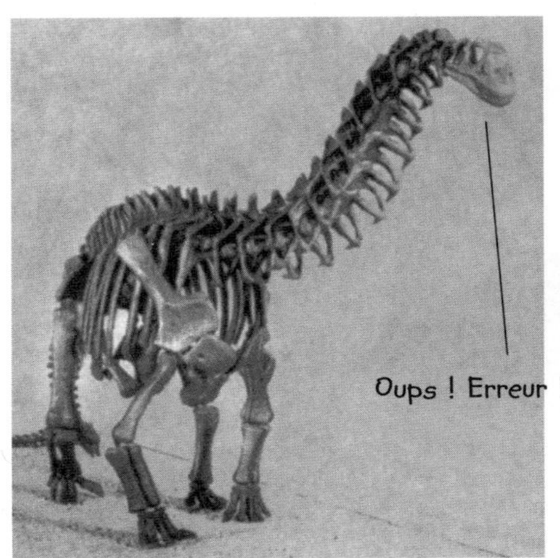

d'un assemblage de deux animaux : un paléontologue, à la fin du XIXe siècle, avait placé le crâne d'un *Camarasaurus* sur le squelette d'un *Apatosaurus* !

Pas le bon bout !

Au début de sa carrière, le paléontologue Edward Cope déterra le fossile d'un reptile marin géant. En reconstituant le squelette, il commit une grosse erreur, mélangeant les os de la queue avec les os du cou. L'animal portait sa tête… au bout de la queue.

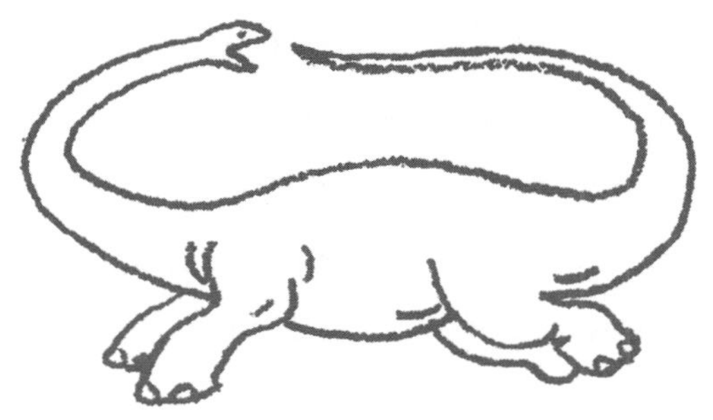

Corne ou griffe ?

En étudiant des fossiles d'*Iguanodon,* Gideon Mantell prit une des griffes du géant pour une corne. Il fit donc un dessin de l'animal avec la tête surmontée d'une griffe.

Non coupable !

Il y a quatre-vingts ans, en Asie, des chercheurs découvrirent des os de dinosaures à côté d'un nid plein d'œufs fossilisés. Ils supposèrent que, avant de mourir, l'animal s'apprêtait à piller le nid, et ils le nommèrent *Oviraptor*, le « voleur d'œufs ». En 1990, des paléontologues ont déniché des œufs semblables. Un squelette d'*Oviraptor* était couché sur les futurs bébés : le dinosaure protégeait en fait ses œufs pour éviter qu'un voleur s'en empare.

Berk !
Les carnivores sont également appelés « mangeurs de viande ». Mais ils ne mangeaient pas que la viande... Ils dévoraient entièrement leurs proies : cervelle, tripes, os, et même les yeux !

Les carnivores

En presque deux cents ans, les paléontologues ont déterré des centaines d'espèces de dinosaures. Ils les ont classés en deux groupes principaux, selon leur régime alimentaire :

Fossile d'Allosaurus

les carnivores (ceux qui mangent de la viande) et les herbivores (ceux qui se nourrissent de plantes).

Comment connaissons-nous leur mode d'alimentation ?

Là encore, les fossiles sont des indices précieux. Les carnivores possédaient des dents tranchantes. Parfois, on trouve les restes d'un animal dans le squelette fossilisé d'un carnivore.

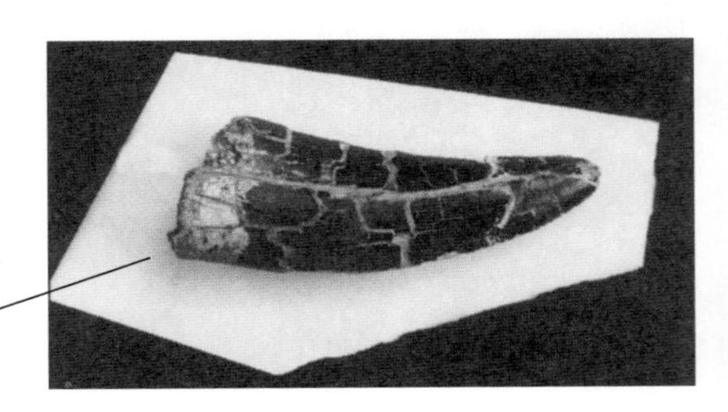

Voici une dent longue et pointue de carnivore !

Les herbivores, eux, avaient des dents plates et courtes, souvent en forme de spatule ou de feuille. La présence de graines dans leurs excréments fossilisés signifie que ces animaux mangeaient des plantes.

Le plus ancien fossile de dinosaure provenait d'un carnivore de la taille d'une oie. On l'a baptisé *Eoraptor*,

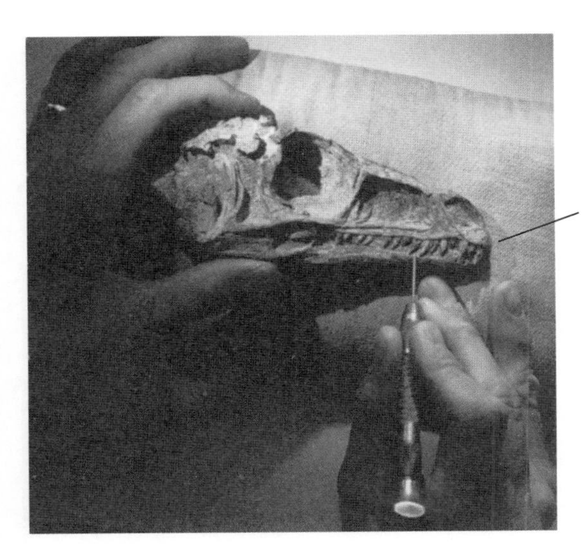

Ouah ! L'Eoraptor avait une petite tête, mais regarde toutes ces dents !

c'est-à-dire « voleur de l'aube », parce qu'il vivait il y a plus de 225 millions d'années, à l'aube de l'ère mésozoïque. Il se nourrissait d'insectes et de petits lézards.

Les dinosaures carnivores étaient de différentes tailles, mais ils avaient de nombreux points communs :

Carnivores

Se déplaçaient sur leurs pattes arrière

Petits membres supérieurs

Queue longue et puissante

Dents très pointues

Selon les paléontologues, les carnivores couraient pliés en deux, et se servaient de leur queue pour s'équilibrer.

Comme ceci !

Fossile de T-rex

Ils ne mangeaient pas tous la même chose. Les « prédateurs » chassaient des animaux, les « charognards » se nourrissaient des cadavres. Les carnivores étaient rusés, féroces et rapides.

Tourne la page pour découvrir
nos carnivores préférés.
Par ici...

Nos carnivores préférés

Le *Coelophysis*

C'est l'un des tout premiers dinosaures. Son corps et ses pattes arrière étaient allongés, ses os, très légers. C'était un coureur rapide.

Des chercheurs du Nouveau-Mexique (États-Unis) ont trouvé près d'un ranch des douzaines de squelettes de *Coelophysis.* Selon la légende, les fantômes de ces dinosaures hantent les lieux !

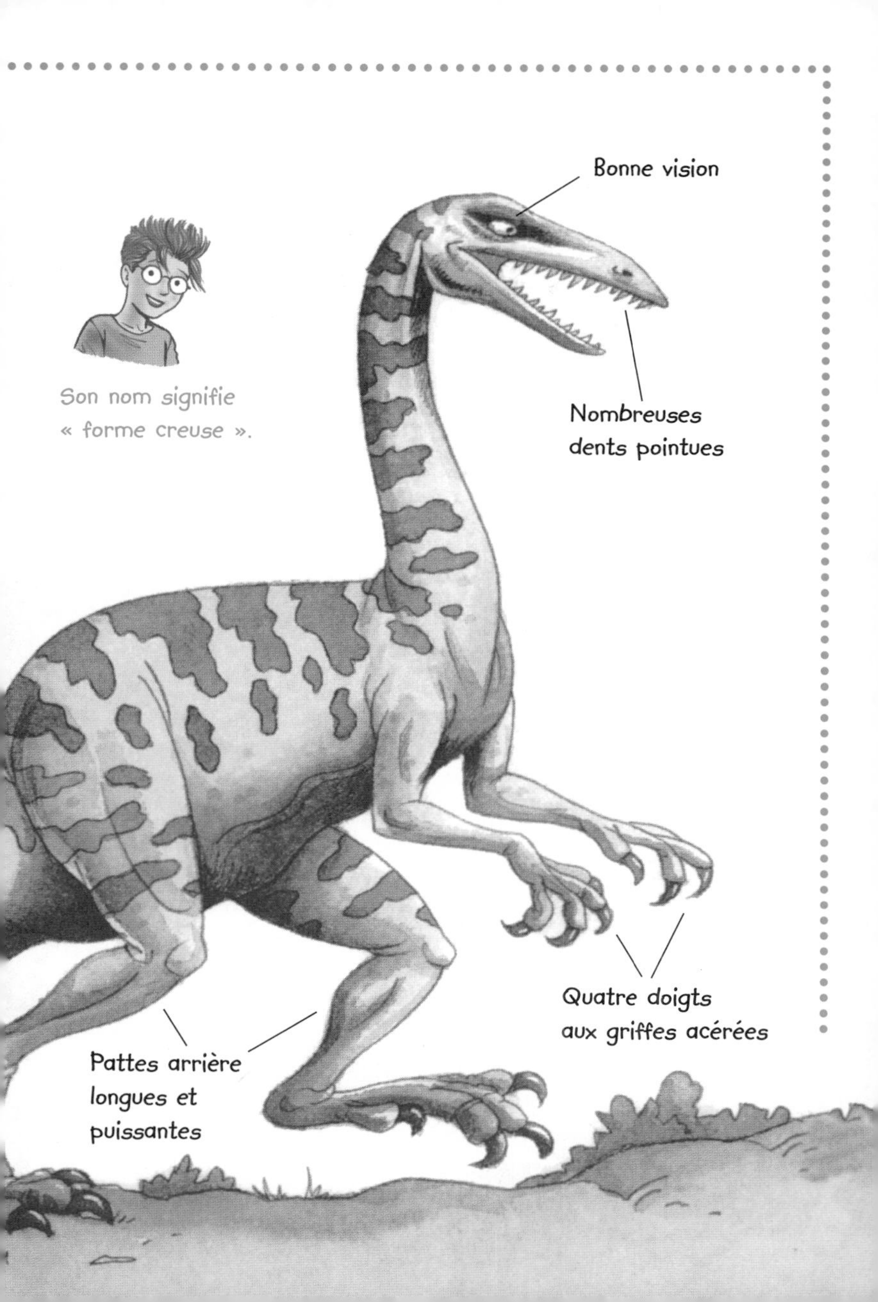
Son nom signifie
« forme creuse ».
Bonne vision
Nombreuses
dents pointues
Quatre doigts
aux griffes acérées
Pattes arrière
longues et
puissantes

Le *Troodon*

C'était l'un des dinosaures les plus intelligents. Son cerveau, comparé à sa taille, était énorme.

Sa gueule était munie de dents minuscules mais très acérées.

Ce coureur rapide pouvait atteindre une vitesse de 50 km/h (l'homme le plus rapide ne dépasse pas 37 km/h… !)

Le *Velociraptor*

Ce dinosaure était rapide, intelligent et tout en muscles.

Chacun de ses orteils était muni d'une puissante griffe. À 60 km/h, il bondissait sur sa proie et lui plantait ses griffes dans le corps.

En 1971, un fossile de *Velociraptor* a été découvert serrant le crâne d'un *Protoceratops*. Avant de mourir, ce dernier avait mortellement blessé son adversaire, qui s'apprêtait à lui déchirer l'estomac.

Environ 2 m de long

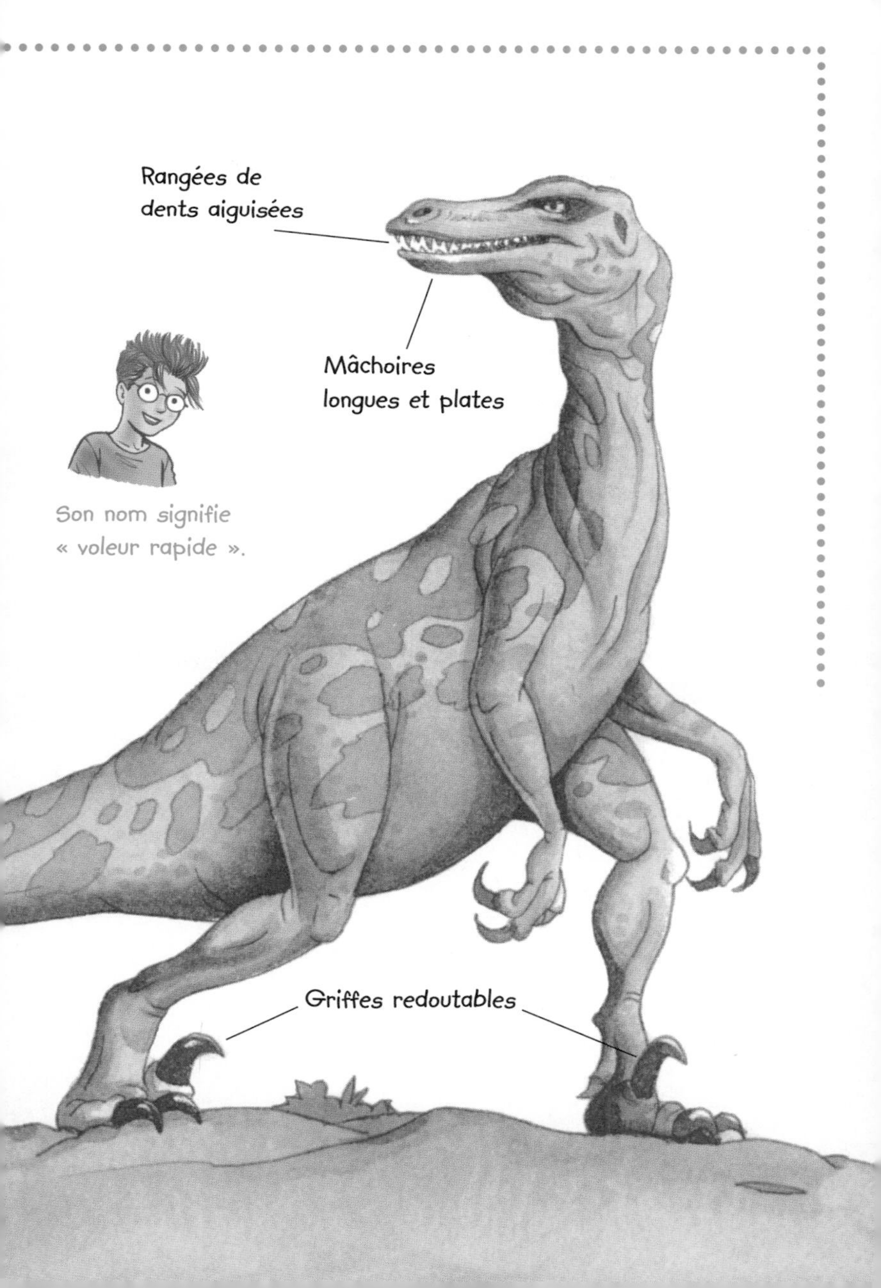
Rangées de
dents aiguisées
Mâchoires
longues et plates
Son nom signifie
« voleur rapide ».
Griffes redoutables

Le *Baryonyx*

Ses énormes griffes de 31 cm, recourbées, constituaient une arme redoutable ! Il s'en servait comme harpon pour pêcher les poissons : des écailles ont été retrouvées dans son squelette.

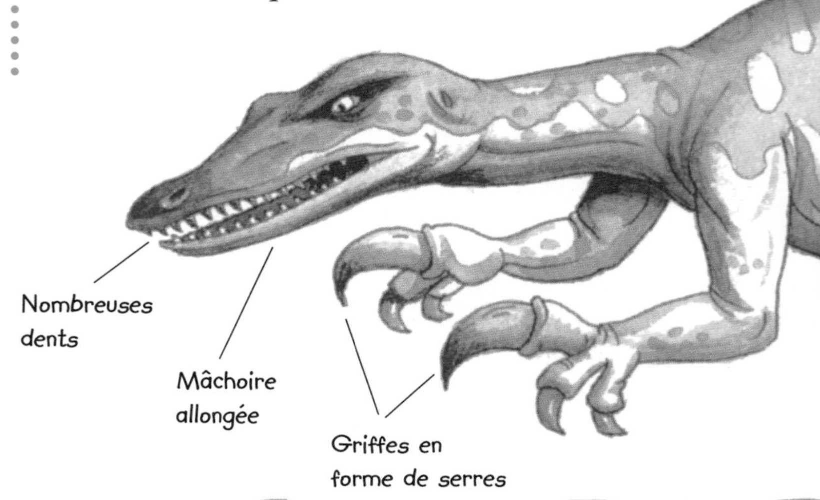

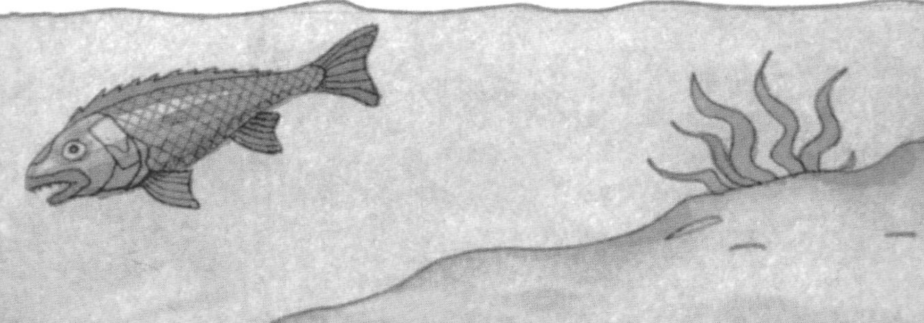

De profil, son crâne rappelle celui du crocodile. Et sa gueule longue et étroite comportait deux fois plus de dents que chez la plupart des carnivores.

Le *Tyrannosaurus rex*

C'est l'espèce la plus connue. On l'appelle familièrement *T-rex*. Ses pattes arrière étaient puissantes. Ses pattes avant, très courtes, lui étaient surtout utiles quand il se redressait.

Il était gigantesque (12 m de long) et pesait de 6 à 13 tonnes. Se retrouver face à lui, comme Tom dans *La vallée des dinosaures*, devait être terrifiant !

Son énorme tête, de la taille d'une baignoire, était munie de mâchoires qui s'ouvraient sur une soixantaine de dents de 20 cm. En une seule bouchée, le *T-rex* pouvait avaler tout rond, sans mâcher, jusqu'à 35 kg de viande.

Queue puissante

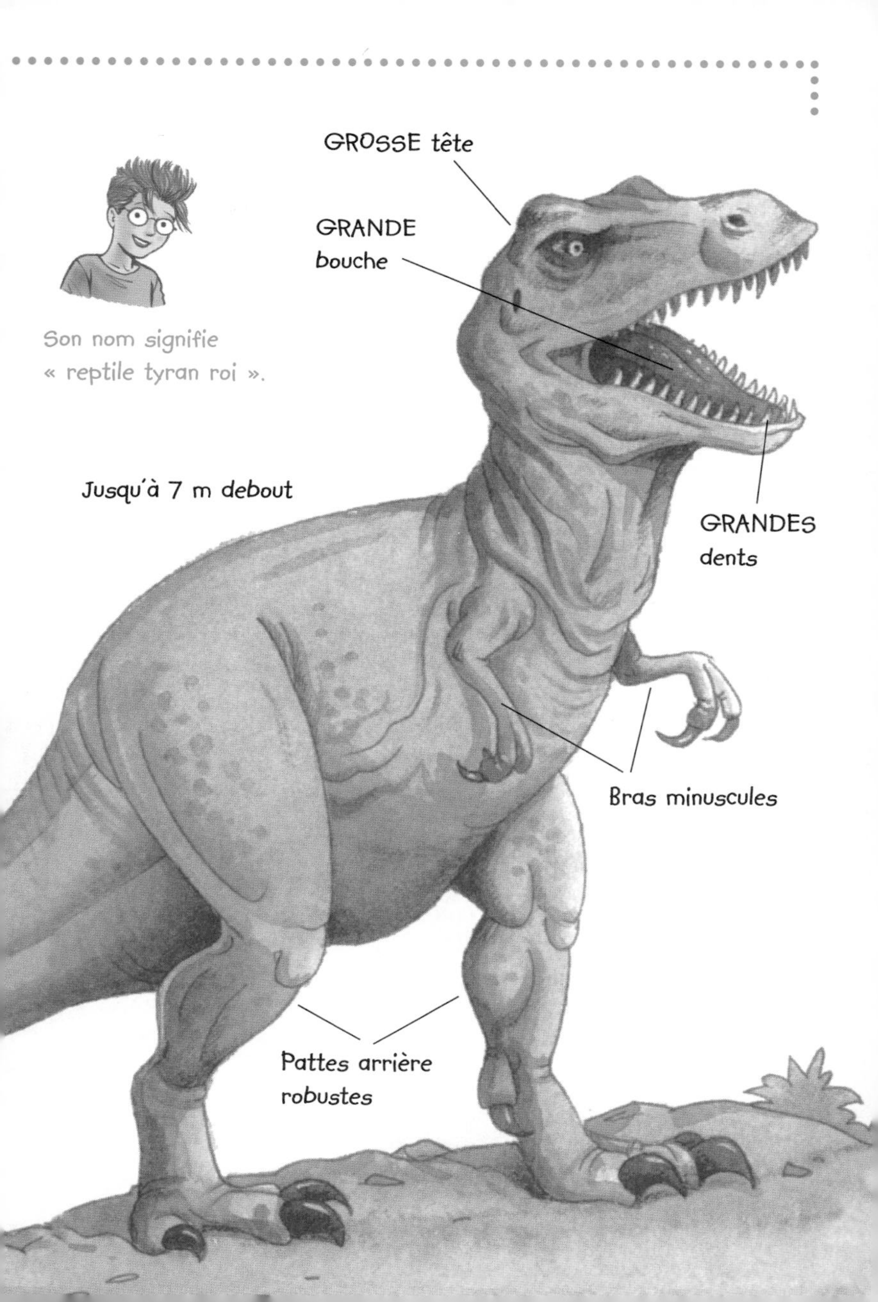
GROSSE tête
GRANDE
bouche
Son nom signifie
« reptile tyran roi ».
Jusqu'à 7 m debout
GRANDES
dents
Bras minuscules
Pattes arrière
robustes

Le *Giganotosaurus*

Un seul spécimen a été trouvé à ce jour, en 1994, en Argentine. Son crâne mesurait 2 m de long et ses mâchoires étaient plantées de dents

de 20 cm. Ce prédateur impressionnant est, à ce jour, le plus grand des dinosaures carnivores connus : 14 m de long. Il a volé au *Tyrannosaurus rex* sa place de roi des carnivores !

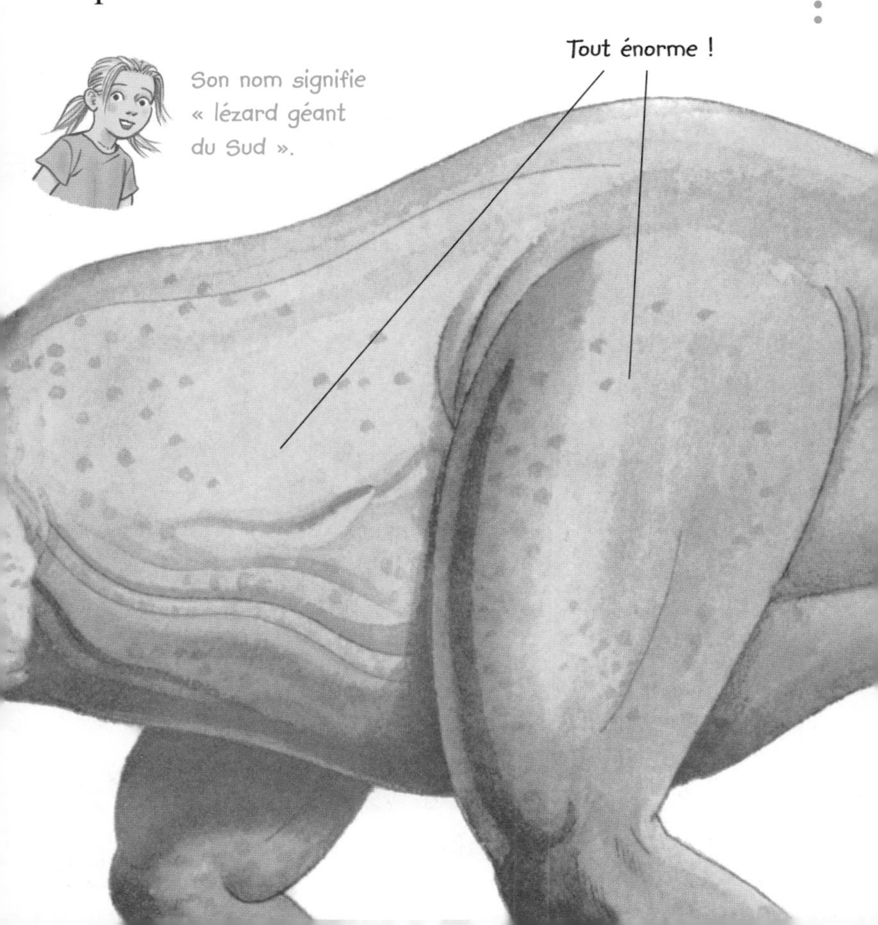

Fossile de sauropode

Les herbivores

Les dinosaures les plus rapides et les plus intelligents étaient carnivores. Mais les plus gros étaient herbivores. Les premiers d'entre eux ont fait leur apparition sur Terre à la fin du trias, plusieurs millions d'années après les « mangeurs de viande ».

Les plus petits herbivores, de la taille d'un gros chien, broutaient les fougères et les arbustes. Les plus grands, hauts comme six girafes, attrapaient les feuilles au sommet des arbres.

Herbivores

Nombreuses espèces

Plus ou moins grands

Ne chassent pas les autres dinosaures

Les herbivores ont vécu
durant l'ère mésozoïque.
Tous les herbivores
représentés ici
ne vivaient pas
en même
temps.

Les plus impressionnants mangeurs de plantes étaient les sauropodes. Ils étaient tellement énormes qu'ils laissaient au sol des empreintes grosses comme des pneus de camion.

Pendant longtemps, les paléontologues ont cru que le plus grand dinosaure était le *Brachiosaurus,* de la taille de trois bus mis bout à bout !

Aujourd'hui, ils savent qu'il existait au moins trois dinosaures gigantesques. Leurs noms donnent une idée de leurs dimensions :

Gros

• Le *Supersaurus* (« super lézard ») : 30 m de long, 50 t.

Très gros

• L'*Ultrasaurus* (« extrême lézard ») : 30 m de long, 130 t.

Très très gros

• Le *Seismosaurus* (« lézard qui fait trembler la terre ») : 40 m de long, 50 t.

On ne connaît pas grand-chose sur ces animaux, car seuls quelques os ont été retrouvés. Pour l'instant, le *Seismosaurus* détient le record de la taille, et l'*Ultrasaurus*, celui du poids ! Mais les paléontologues continuent de déterrer des fossiles, et ils pourraient très bien retrouver un jour un sauropode géant !

Le *Stegosaurus*

Cet herbivore de 10 m de long avait une queue armée de piques. Il portait également le long de sa colonne vertébrale des plaques qui lui servaient à capter le vent pour se rafraîchir ou les rayons du soleil pour se réchauffer.

Le *Stegosaurus* avait une toute petite tête. Son cerveau était de la forme (et de la taille) d'un hot dog !

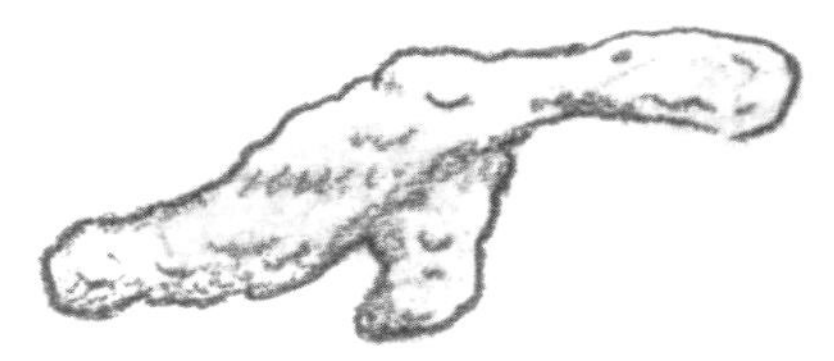

Cerveau de Stegosaurus

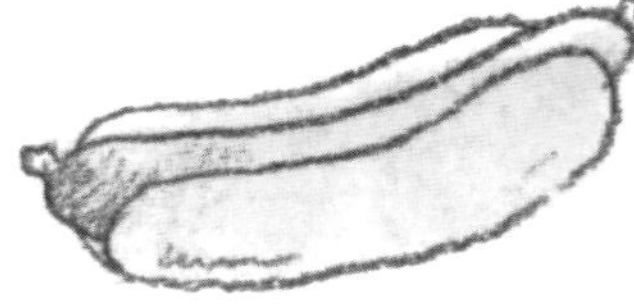

Hot dog

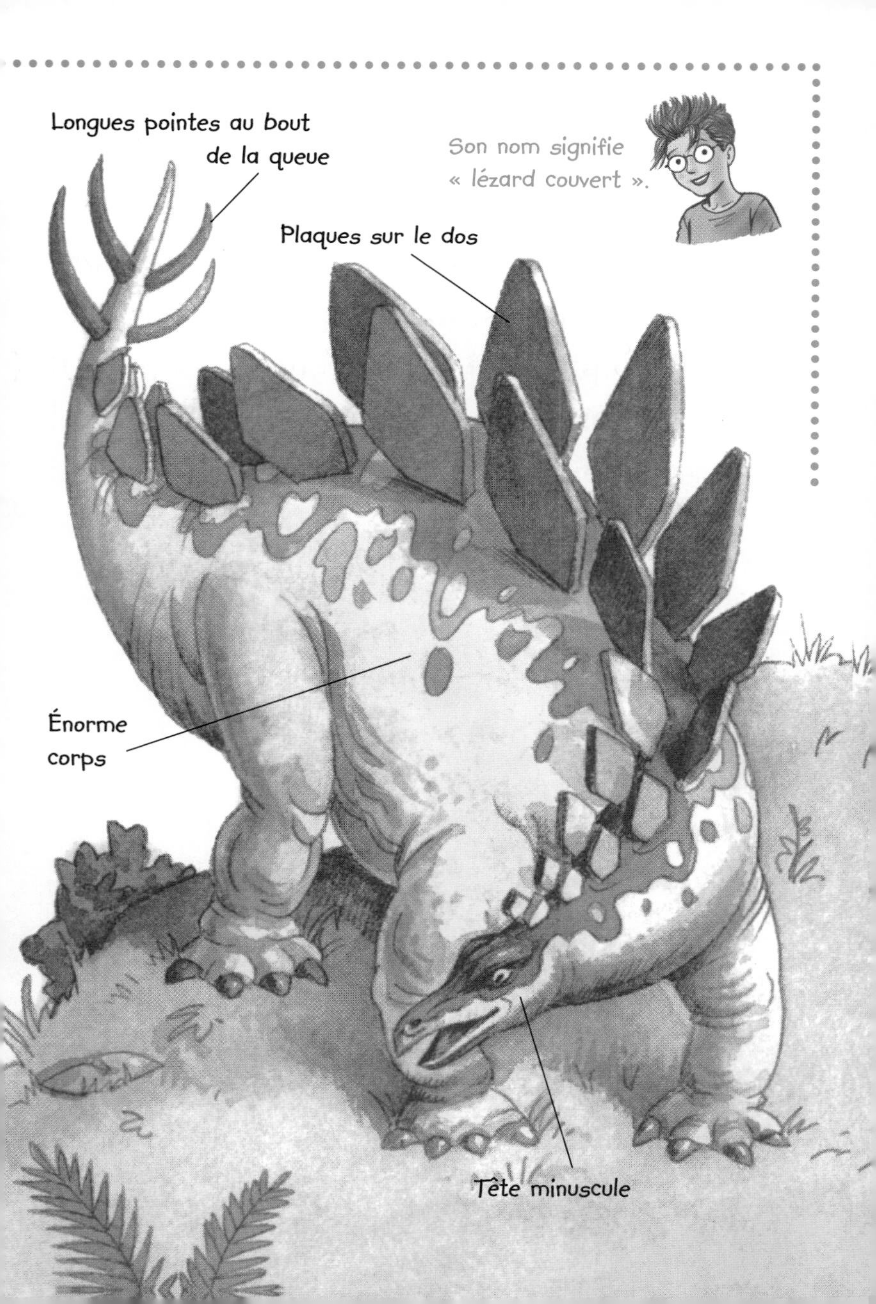
Longues pointes au bout de la queue
Son nom signifie « lézard couvert ».
Plaques sur le dos
Énorme corps
Tête minuscule

L'*Ankylosaurus*

L'*Ankylosaurus* était de la taille d'un tank. Son corps et sa tête étaient recouverts de plaques osseuses et d'épines. Avec une telle armure, il pouvait affronter le redoutable *T-rex* !

Sa queue se terminait en une sorte de massue. Il l'utilisait pour briser les pattes du prédateur qui osait s'attaquer à lui. Il vivait en solitaire.

L'*Anatosaurus*

Ce bipède mesurait 13 m et pesait 4 t. Il avait une tête plate et un bec de canard. Il mastiquait sa nourriture grâce à un millier de minuscules dents. Une fois usées, celles-ci tombaient et d'autres repoussaient.

Les paléontologues pensent qu'il s'occupait beaucoup de ses petits : il protégeait probablement leur nid, les nourrissait jusqu'à ce qu'ils soient en âge de se débrouiller seuls.

Le *Triceratops*

Ce colosse de 5 à 6 t avait une tête massive garnie de trois cornes, les deux plus longues pouvant atteindre 1,20 m de long. Son cou puissant était protégé par une collerette osseuse.

Il chargeait l'ennemi avec sa tête, comme un rhinocéros. Les mâles se battaient entre eux lors des périodes de reproduction.

Son nom signifie
« face à trois cornes ».
Trois cornes
Collerette osseuse
Bec de
perroquet

Le *Diplodocus*

Ce dinosaure était « léger » par rapport à sa taille (moins de 20 t pour 25 m de long). Il pouvait tenir en équilibre sur ses pattes arrière puissantes et sa très longue queue, et s'étirer pour attraper les feuilles des arbres. C'était un géant avec une toute petite tête (elle ne mesurait que 60 cm).

Le *Diplodocus* passait son temps à manger : plus de 6 000 kg de feuilles par jour, sans mâcher !

Petite tête
Petite
bouche
Très long cou
Pattes puissantes

Le *Brachiosaurus*

Le *Brachiosaurus* ressemblait un peu à une girafe... en deux fois plus grand. Il avait un très long cou et un tout petit crâne. Une particularité : ses narines étaient situées sur le sommet de la tête !

Son nom signifie « lézard à bras » (contrairement aux autres sauropodes, ses bras étaient plus longs que ses pattes postérieures).

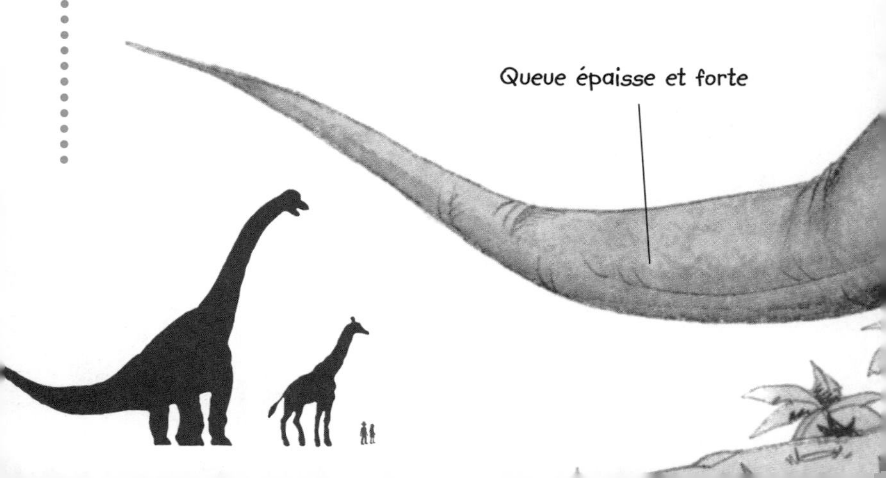

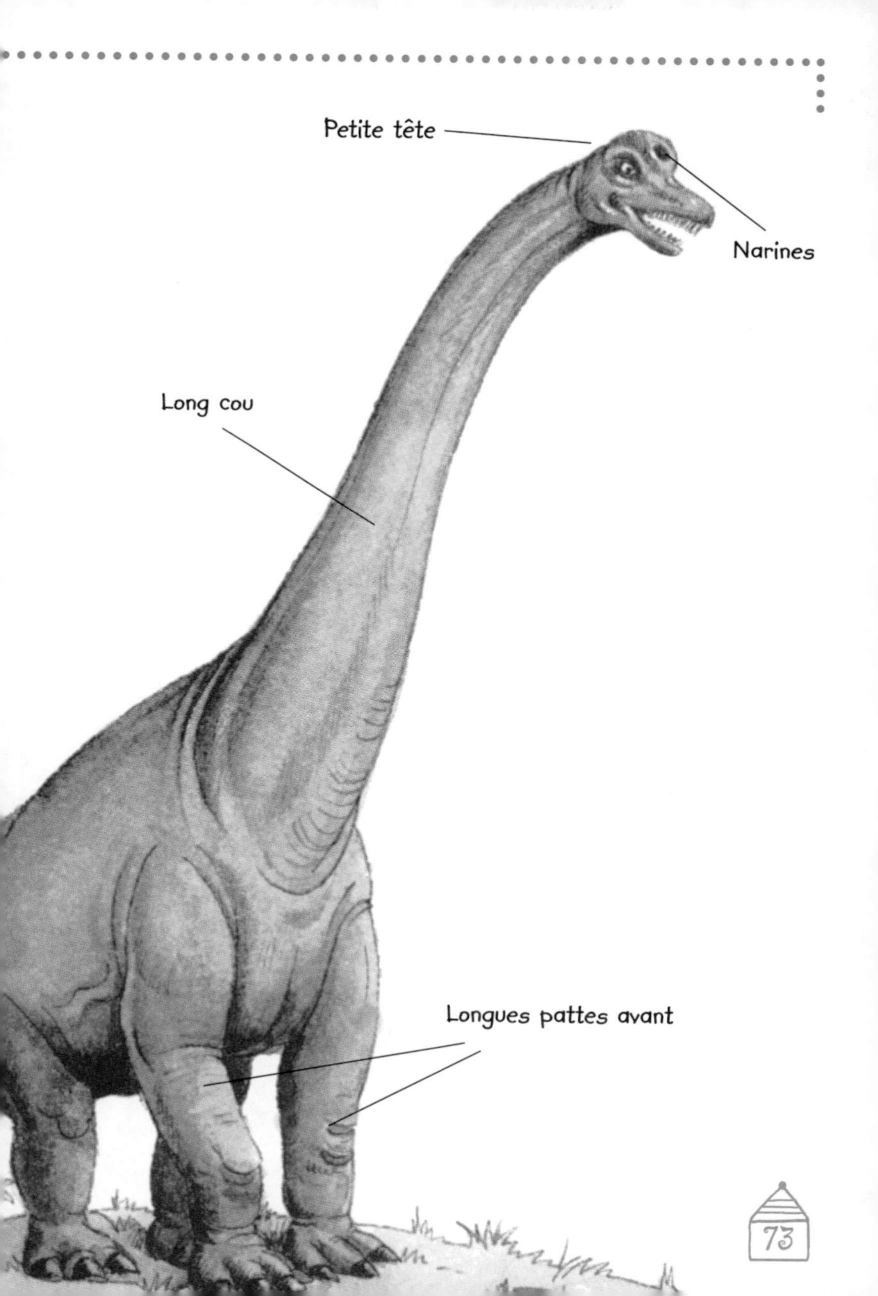
Petite tête
Narines
Long cou
Longues pattes avant

La plus grosse tête

★ ★ ★

Le *Torosaurus*

(« lézard taureau »)

Le crâne de cet herbivore mesurait 2,60 m : c'est la taille d'une petite voiture. Sa tête constituait le tiers de son corps, du jamais vu chez un animal terrestre.

Si la tête de Léa faisait un tiers de sa taille, voilà à quoi elle ressemblerait.

Le plus long cou

★ ★ ★

Le *Mamenchisaurus*

(« lézard de Mamenchi »)

Également herbivore, cet animal possédait un cou de 12 m de long. C'est la moitié de sa taille !

Voici Tom avec un cou mesurant la moitié de son corps.

Les plus gros yeux

★ ★ ★

Le *Dromiceiomimus*

(« qui imite l'émeu »)

Ce carnivore ressemblait à l'autruche. Il avait des yeux gros comme des oranges.

Si les yeux de Léa avaient les dimensions d'une orange, elle aurait cette tête !

Le nom le plus long

★ ★ ★

Le *Micropachycephalosaurus*

Ce petit herbivore fut découvert en Chine. Son nom signifie « petit lézard à tête épaisse ».

Son nom est :
Garçonàsacàdosàlunettes.

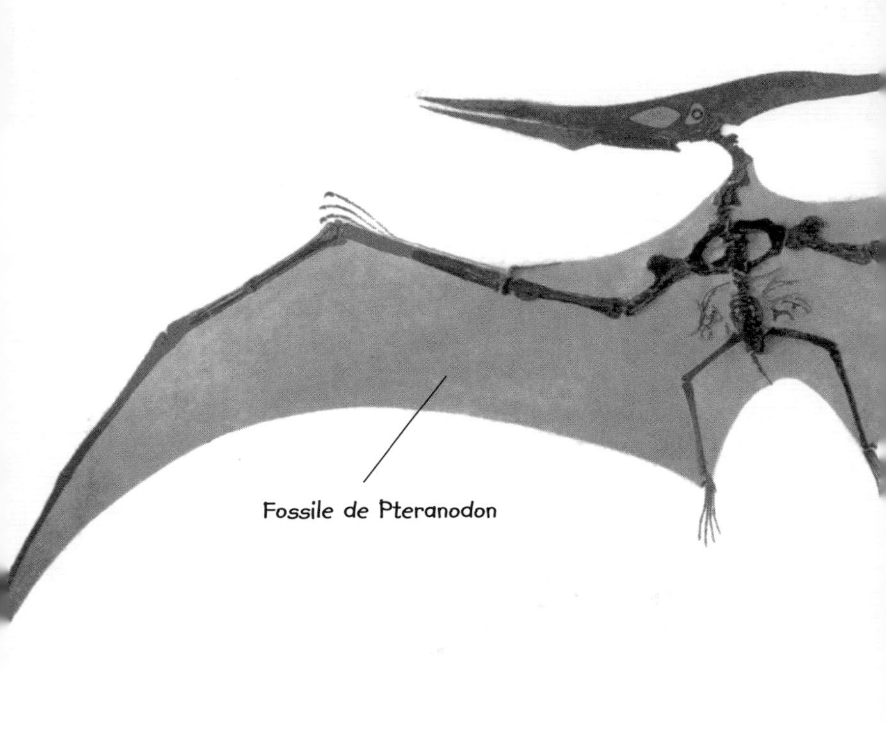
Fossile de Pteranodon

6

Monstres des mers et créatures volantes

Durant l'ère mésozoïque, les dinosaures n'étaient pas seuls sur Terre. Les paléontologues ont retrouvé de nombreux fossiles de reptiles marins ou volants.

Les reptiles volants sont appelés ptérosaures, ce qui signifie « lézards ailés ». Les ptérosaures possédaient des ailes constituées d'os et recouvertes de peau. Chaque aile était attachée à un très long doigt qui s'étendait de la main à l'extrémité de l'aile. Ce doigt pouvait mesurer jusqu'à 3 m ! Grâce à leurs ailes immenses, ces animaux pouvaient planer.

Reptiles volants (ptérosaures)

Ailes recouvertes de peau

Très long doigt

Planaient

À la même période, la planète était aussi habitée par des reptiles marins :

Les ichtyosaures (« lézards-poissons ») avaient l'allure de dauphins avec un long museau et de gros yeux.

Les mosasaures (« reptiles de la Meuse », du nom de la rivière française où fut découvert le premier fossile) étaient de redoutables prédateurs marins aux dents en forme de poignards.

Fossile de plésiosaure

Et les plésiosaures (« proches du lézard ») ne ressemblaient à aucun animal connu aujourd'hui ! Certains avaient un cou très court et une longue mâchoire de crocodile ; d'autres, un long cou terminé par une petite tête.

Reptiles marins

Ichtyosaures. Mosasaures. Plésiosaures.

Tourne la page pour découvrir nos reptiles volants préférés et nos monstres des mers en action !

Créatures volantes

Le *Pteranodon*

C'est sur son dos que Tom est grimpé pour échapper au *T-rex*, dans *La vallée des dinosaures* ! Le *Pteranodon* avait un long bec. Sa crête osseuse, au sommet du crâne, lui servait probablement à s'équilibrer lorsqu'il plongeait pour pêcher les poissons.

Le *Quetzalcoatlus*

Découvert au Texas, il a été baptisé ainsi en l'honneur du dieu aztèque. De la taille d'un petit avion, c'est la plus grande créature volante de tous les temps. Son crâne à lui seul devait mesurer dans les 2 m, et chacune de ses ailes 6 m.

L'*Ophtalmosaurus*

De la famille des ichthyosaures, ce reptile avait le corps gracieux d'un dauphin. D'énormes yeux lui permettaient de chasser dans les eaux profondes.

L'*Elasmosaurus*

De la famille des plésiosaures, il mesurait jusqu'à 14 m de long. Son cou représentait à lui seul la moitié de sa taille. Son poids était d'environ 2 t. Il avait des dents très tranchantes. Vif comme l'éclair, il gobait les poissons à la surface de l'eau.

7

La fin des dinosaures

Les dinosaures ont vécu sur la Terre pendant des millions et des millions d'années, avant de disparaître complètement.

Que s'est-il passé ? Qu'est-ce qui a provoqué leur extinction ?

***Extinction :** disparition totale, d'une espèce animale par exemple.*

Il existe plusieurs théories concernant la disparition des dinosaures.

Le changement climatique

Les paléontologues ont longtemps pensé que les dinosaures n'avaient

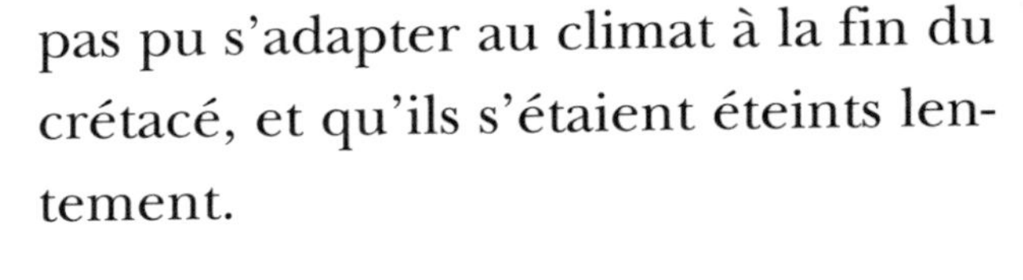

pas pu s'adapter au climat à la fin du crétacé, et qu'ils s'étaient éteints lentement.

Théorie : une hypothèse qui n'a pas été prouvée.

L'activité volcanique

Les volcans dégagent de grandes quantités de gaz toxiques. De fortes éruptions, associées au changement de climat, auraient provoqué la disparition de nombreuses espèces.

Météorite : morceau de roche tombé de l'espace.

La théorie de la météorite

Selon certains scientifiques, les dinosaures seraient morts de manière beaucoup plus brutale, tués par une météorite géante de 8 km de diamètre.

Elle se serait écrasée sur la Terre à la fin de l'ère mésozoïque et aurait anéanti tous les animaux dans un

rayon de plusieurs centaines de kilomètres.

En percutant notre planète, elle aurait formé un énorme nuage de poussière et de cendre empêchant les rayons du soleil de traverser l'atmosphère, et donc d'éclairer et de réchauffer la Terre. Les plantes auraient disparu. Des dinosaures seraient morts de froid, d'autres de faim. Et il n'en serait plus resté aucun.

Ouah !
C'est aussi grand qu'une ville !

Les paléontologues ont découvert un cratère dans le golfe de Mexico : un trou de 200 km de large et de 800 m de profondeur, sous l'océan.

La disparition des dinosaures est l'un des plus grands mystères de tous les temps.

Tourne la page pour découvrir d'autres mystères sur les dinosaures.

D'autres mystères sur les dinosaures

Les fossiles trouvés depuis deux cents ans ne disent pas tout…

Mystère n° 1 : La couleur des dinos

De quelle couleur étaient les dinosaures ? Étaient-ils bruns ou gris ? Ou bien rouge vif ? Verts ? Jaunes ? Avaient-ils des taches ? Des rayures ?

De nombreux paléontologues pensent que les dinosaures étaient aussi colorés que les lézards ou les serpents d'aujourd'hui.

Mystère n° 2 :
Ça leur fait quel âge au juste ?

Combien d'années vivait un dinosaure ? Dix ans ? Trente ans ? Certains scientifiques affirment que des dinosaures pouvaient être centenaires !

Mystère n° 3 :
Les cris des dinosaures

Ces animaux rugissaient-ils à la manière des lions ? Cancanaient-ils comme des canards ? Sifflaient-ils ou pépiaient-ils ? Grognaient-ils ou grondaient-ils ? Pour répondre à cette question, les paléontologues ne peuvent se baser que sur la forme des têtes et des corps des dinosaures. Certains avaient une sorte de tube osseux sur le crâne : leur cri ressemblait-il au son de la trompette ?

8

Les voisins des dinosaures

Parmi nous vivent encore des créatures ayant cohabité avec les dinosaures !

Les lézards, dont se régalaient les petits carnivores, ressembleraient trait pour trait à ceux qui vivaient pendant l'ère mésozoïque.

On a retrouvé la carapace fossilisée d'une tortue de presque 4 m de long ! Les tortues existaient donc au temps des dinosaures, mais elles étaient beaucoup plus grosses.

Fossile de Stupendemys

Un crâne de crocodile de 2 m (cinq fois plus gros que celui d'un crocodile actuel) a été déterré au Texas. Mais la plupart des crocodiles étaient de la même taille que ceux que nous connaissons aujourd'hui.

Et pourtant les créatures les plus proches des dinosaures ne sont pas les lézards, les tortues ou les crocodiles. Ce sont des animaux que nous

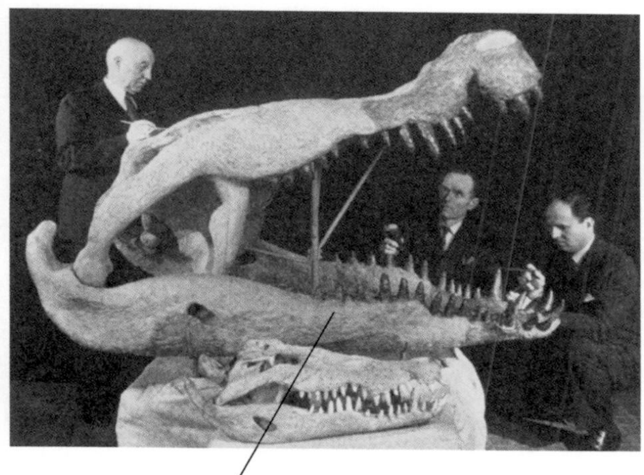

Crâne fossilisé de Phobosuchus

Et ça, un GROS crocodile !

voyons tous les jours, sur le rebord de notre fenêtre ou dans notre jardin…

Les oiseaux !

Les voisins des dinosaures

Lézards

Tortues

Crocodiles

Oiseaux !

Ceux-ci sont apparus sur Terre au jurassique. Les oiseaux seraient des cousins des dinosaures carnivores. Des scientifiques pensent qu'autrefois a existé une créature mi-oiseau, mi-dino !

En 1861, des ouvriers allemands ont déterré le fossile d'un squelette semblable à celui d'un petit dinosaure carnivore. Mais, en y regardant de plus près, ils ont constaté que les pierres autour des os portaient des empreintes de plumes. Le dinosaure avait des ailes !

Oh, regarde ce fossile avec des ailes !

Les paléontologues ont nommé cette créature *Archeopterix* (« aile ancienne »). Son fossile est l'un des plus précieux au monde.

Comment les oiseaux, les lézards, les crocodiles et les tortues ont-ils survécu alors que tous les dinosaures sont morts ?

Encore un mystère à résoudre.

Peut-être que la solution est là, tout près.

Enterrée dans la boue.

Attendant que *tu* la trouves…

Pour en savoir plus

Tu veux devenir un expert en dinosaures ? Tu peux apprendre encore plein de choses sur ces animaux disparus… Complète tes connaissances en explorant d'autres pistes.

Les livres

Les librairies et les bibliothèques regorgent d'ouvrages sur les dinosaures. Suis ces quelques conseils :

1. Tu n'es pas obligé de lire le livre en entier. Consulte la table des matières ou l'index pour aller directement à ce qui t'intéresse.

2. N'oublie pas de noter le titre pour pouvoir le retrouver facilement.

3. Ne te contente pas de recopier le texte mot pour mot. Il vaut mieux le récrire avec tes propres mots si tu veux t'en souvenir.

4. Vérifie la date de parution du livre. Les connaissances sur les dinosaures évoluent constamment. Assure-toi que

ton livre n'est pas trop vieux. Fais-toi aider par un bibliothécaire ou un professeur pour repérer la date de parution.

Voici quelques livres intéressants sur le sujet :

- David Burnie, *L'encyclopédie des dinosaures*, Rouge et Or, 2005.
- David Norman, *La grande encyclopédie des dinosaures*, Gallimard, 2001.
- Steve Parker, *Dinosaures : couleur, anatomie, cuirasse*, Gründ, 2006.
- Steve Parker, *Les dinosaures*, Gründ, 2004.
- Jean-Pierre Roucan, *Au temps des dinosaures*, Lito (Documentation scolaire), 2004.
- Paul Willis, *Les dinosaures*, Larousse, 2000.

Les films

De nombreux films sur les dinosaures racontent une histoire inventée. Les réalisateurs déforment la réalité, pour la rendre plus attrayante.

Pourtant, il existe des films documentaires captivants en DVD.

En voici deux :

• *Sur la terre des dinosaures*, un coffret de six épisodes réalisés par Tom Haines, France Télévisions/BBC, 2000.

• *E=M6 : Au temps des dinosaures*, un documentaire présenté par Mac Lesggy, BMG, 2005.

Les CD-Roms

Ils contiennent des informations et parfois des activités ludiques qui permettent d'en apprendre davantage sur les fossiles, les dinosaures et le travail des paléontologues.

- *Dinosaures 3D*, Jériko, 2007 : 150 illustrations, plus de 70 films.
- *Les dinosaures en 3D*, Anuman Interactive, 2006 : mini-encyclopédie qui offre un grand choix de schémas et de vidéos.
- *Les dinosaures 3D*, Emme Interactive, 2001 : des films et des illustrations commentés.

Internet

Il existe beaucoup de sites sur les dinosaures. Assure-toi qu'ils sont mis à jour régulièrement, c'est-à-dire qu'ils contiennent des informations revues et corrigées en fonction des découvertes les plus récentes.

Voici le site que Tom et Léa ont consulté. Demande à tes parents ou à ton professeur de t'aider à naviguer sur Internet.

- http://www.dinosoria.com/dinosaure_intro.htm

Les musées

Les musées des sciences ou d'histoire naturelle sont des endroits passionnants à visiter. La plupart exposent des squelettes de dinosaures, ou du moins des fossiles.

Lorsque tu te rends au musée :

1. Prends un carnet. Il est important de noter ce qui t'intéresse et de dessiner ce qui attire ton œil.

2. Pose des questions. Il y a toujours quelqu'un qui peut te renseigner ou t'aider à t'orienter.

3. Consulte le calendrier des expositions temporaires ou des activités pour les enfants.

Voici des musées intéressants :

• **Muséum national d'Histoire naturelle**
57, rue Cuvier – 75005 Paris
Renseignements au 01 40 79 30 00
http://www.mnhn.fr

• **Musée de l'Association culturelle archéologique et paléontologique ouest-biterrois** : musée des dinosaures, des fossiles et minéraux de Cruzy, dans l'Hérault
6, rue de la Poste – 34310 Cruzy
Entrée gratuite tous les jours
de 15h à 18h
En dehors de ces heures prendre rendez-vous au 04 67 89 35 87
http://pagesperso-orange.fr/acap.cruzy/fr/musee/frame_musee.htm

• **Dinosauria**
11260 Esperaza
À 50 km au sud de Carcassonne
Visite d'un chantier de fouilles en été
Renseignements au 04 68 74 26 88
http://www.dinosauria.org

Et pour les sorties

Il existe en France de nombreux parcs qui exposent des reconstitutions de dinosaures, grandeur nature.

Si tu habites ou passes tes vacances à côté de l'un de ces sites, n'oublie pas d'y faire un tour :

• **Musée-parc des dinosaures de Mèze**
Entre Mèze et Montagnac
sur la RN 113, dans l'Hérault
Renseignements au 04 67 43 02 80
http://www.musee-parc-dinosaures.com

• **Aven-Grotte de Marzal**
07700 Saint-Remèze
Dans les gorges de l'Ardèche
Renseignements au 04 75 04 12 45
http://www.saint-remeze.com/avenmarzal-zoo.htm

• **Dino-Zoo**
25620 Charbonnières-les-Sapins
Sur la RN 57, à 20 km de Besançon
Renseignements au 03 81 59 27 05
http://www.dino-zoo.com/

• **Préhistologia**
46200 Lacave
Sur la D 247,
à 5 km de Rocamadour
Renseignements au 05 65 32 28 28
http://www.prehistologia.com

Bonne chance !

Index

112

Crédits iconographiques

p. I : Tyrannosaurus Rex © Getty Images/Colin Keates.
p. II : Baryonyx © Getty Images/Gary Ombler ; Stegosaurus © Costa/Leemage.
p. III : Giganatosaurus © Getty Images/Gary Ombler ; Ankylosaurus © Getty Images/Dea Picture Library ; Velociraptor © Imagestate/Leemage.
p. IV : Tyrannosaure © Costa/Leemage ; Triceratops © Costa/Leemage ; Anatosaurus © PrismaArchivo/Leemage ; Troodon © akg-images/Isabelle Picarel ; Coelophysis © Getty images/Gary Ombler ; Diplodocus © Getty Images/Colin Keates.

© Bibliothèque centrale du Musée d'Histoire naturelle américain :
p. 18 : Neg. No. 324393 © Roland T. Bird.
p. 20 : Neg. No. 410765 © Shackelford.
p. 32 : Neg. No. 39019 © Fulda.
pp. 36-37 : Neg. No. 5492 © AMNH Photo Studio.
pp. 78-79 : Neg. No. 39129 © E. M. Fulda.
p. 81 : Neg. No. 35605 © Anderson.
p. 94 : Neg. No. 2A23419 © Beckett.
p. 95 : Neg. No. 318651 © Charles H. Coles.
p. 96 : Neg. No. 319836 © Robert E. Logan.

p. 56 : © AP/Wide World Photos.
p. 14, 21, 41 : © Musée des Rocheuses/Bruce Selyum.
p. 16, 25, 29, 38 : © Musée d'Histoire naturelle, Londres.
p. 28 : © Musée d'Histoire naturelle de Peabody, université de Yale, New Haven, Connecticut.
p. 39 : © Louie Psihoyos/Matrix.

Tu as aimé ce livre ?

Tu peux en lire d'autres.

Les Carnets de la Cabane Magique